美木良介のロングブレスダイエット

1週間**即効**ブレスプログラム

Miki Ryousuke
美木良介

徳間書店

はじめに

1週間で誰でもくびれができる！ロングブレスの即効プログラム

こんにちは、美木良介です。

おかげさまで好評をいただいております、私の考案した呼吸法エクササイズ「ロングブレスダイエット」。このたび、その第2弾として『ロングブレスダイエット　1週間即効ブレスプログラム』をお届けできることになりました。

ロングブレスは、強く長い呼吸を繰り返すことでインナーマッスル（深層筋）を鍛え、効率よく筋肉量を増やし、リバウンドしにくい身体をつくっていく運動です。強く長い呼吸でインナーマッスルが収縮すると、筋温が上がります。すると内臓脂肪や体脂肪が燃焼しやすくなり、病気になりにくい健康な身体になるのです。

そもそも、私がロングブレスを考案するきっかけは、長年悩まされてきた腰痛の解消のためでした。私は30代の頃から20年以上も腰痛に苦しみ、ひどいときは長時間座っているのが苦痛で、仕事に行くこともままならない状態だったのです。

そんなとき、外国人アスリートの間で流行っているという、インナーマッスルを鍛えるための胸式呼吸によるリハビリ法を知りました。その呼吸法に、私なりの工夫を加えて生まれたのがロングブレスです。

ロングブレスの特徴はお腹をへこませて、おへその下にある身体の芯の部分（丹田）に力を入れることにあります。丹田は東洋医学でも気力が集まるところといわれていて、身体をバランスよく保つための重要な部分です。この丹田とその周囲を鍛えることによって、腹横筋などのインナーマッスルが発達するのです。結果としてお腹周りを中心に身体が引き締まり、筋肉量も増えてダイエット効果が表れます。

なぜ、筋肉量が増えるとダイエットになるのか？　人間が1日に消費するカロリーの約6割は、基礎代謝によるものです。基礎代謝は筋肉量に比例しますから、筋肉が増えるとたとえ体重が同じでも、身体が摂取カロリーを消費しやすくなって、ダイエットにつながるのです。激しい運動によって消費カロリーを増やすのではなく、身体そのものの消費カロリーが増えるので、特別な運動をしなくても自然に体重は減っていくというわけです。

実際、肥満だった私も本格的にロングブレスを始めてから、約2カ月で体重が13kg

以上も減りました。そればかりか、長年私を悩ませ続けてきた腰痛もすっかり改善。さらにロングブレスは、丹田を中心に意識的に深い呼吸を繰り返すために、ウエスト周りが見違えるように細くなり、腹筋も割れてきたのです！

それだけではありません。息を吐くときに顔周りの筋肉を集中的に使うので、フェイスラインがスッキリ。ロングブレスの深く長い呼吸により筋肉の温度も高くなっているから、冷えに悩まされることもなくなりました。腸をはじめとした内臓の働きも活発になるため、便秘解消にも役立ちます。

さて今回ご紹介するのは、より早く確実に「小顔」「くびれ」「美脚」をつくるために新しく考案した7日間の集中プログラムです。基本になるふたつのロングブレスと目的別の日替わりロングブレス、そしてくびれのための集中ロングブレスを組み合わせた1日8分のメニューになっています。もちろんダイエット効果は大前提ですが、体重よりもウエストサイズの変化に注目してください。

その内容は本書だけでなく、付録のDVDでも詳細に解説しています。本を読み、DVDを見ながら正しいロングブレスをマスターしてください。また、巻末には「チェックシート」を付けました。その日に行ったエクササイズをチェックし、身体の変化を記入することで、美しい身体を手に入れるモチベーションが高まります。

私を信じて「ロングブレスダイエット　1週間即効ブレスプログラム」をすぐに始めてください。1週間後には必ず身体にうれしい変化が表れるはずです。さあ、一緒にがんばりましょう！

美木良介

呼吸法で
健康な身体に

美木さんのロングブレスは究極の全身マッサージです

横浜東邦病院
医学博士 梅田嘉明院長

ロングブレスの呼吸法は、なぜ身体にいいのか？　これは若い方とお年を召した方の呼吸を比べて考えると、理解していただけると思います。お年を召した方は、肺のキャパシティが小さく（＝肺活量が少ない）呼吸が浅いので、肺全体の換気がしづらくなり、よどんだ空気が溜まりやすくなっています。つまり、新鮮な酸素が血液を通して体内に届きにくい状態になっているのです。

一方、若い方は肺のキャパシティが高く呼吸が深いため、新鮮な空気をたくさん吸うことができ、よどんだ空気を吐き出すことができます。深い呼吸をすることで新陳代謝がよくなり、腹横筋などインナーマッスルの機能が高まります。筋肉優位の身体になれば、摂取エネルギーを消費しやすくなり、太りにくい体質になるわけです。

また、起きているときと睡眠中では、睡眠中のほうが骨格系がリラックスしているので、深い呼吸ができる状態にあります。睡眠中は、身体の隅々まで新鮮な空気が届き「呼吸によって全身がマッサージされている状態」になるのです。睡眠が大切な理由はここにあります。

ロングブレスによる深く長い呼吸は、睡眠以外で呼吸によって全身がマッサージされている状態をつくることができます。ロングブレスは、寝ている状態よりもさらに深い呼吸を繰り返しますから「呼吸による究極の全身マッサージ」といえるのです。

さらに、呼吸によって体温が上がると血液やリンパの循環がよくなり、自律神経が刺激されて発汗やお通じを促しますから、いわゆる健康体をつくってくれます。同時に、普段は使わない顔周辺の筋肉を動かすことで、シワの出にくい小さな顔になる効果も期待できます。

胸を張って深い呼吸をしますから、猫背になりにくく、姿勢もよくなります。結果的に歩き方もきれいになり、女性ならチャーミングな印象を与えるようにもなります。

大切なのは毎日少しずつでいいので、長く続けること。年齢に合わせて無理することなく、やりすぎないことも大事です。みなさんもロングブレスで健康な身体を目指してください。

CONTENTS

第2章 目的別に集中して鍛える日替わりのロングブレス

第3章　毎日共通のくびれ集中ロングブレス

第4章　ウォーキングを取り入れよう

第1章

1週間即効ブレスプログラムと基本のロングブレス

理想の身体を手に入れるために、まずは確実にマスターしたいのが、ふたつの基本のロングブレス。1週間ブレスプログラムでも毎日必須のメニューなので、しっかりと覚えましょう。

まずは
1週間の流れを
理解しよう

日替わりの目的別ロングブレスでやせたい部分を集中エクササイズ！

1週間即効ブレスプログラムは、女性からのリクエストが特に多い「小顔」「くびれ」「美脚」に特化した集中エクササイズです。もちろん、「はじめに」でもご説明したように、ロングブレス自体に十分なダイエット効果がありますから、エクササイズをしているうちに自然と体重は落ちていきます。

また、強く長い呼吸をすることで顔周辺の筋肉を集中的に使うため、すべてのエクササイズに小顔効果が期待できます。その大前提の上に1週間即効ブレスプログラムは、さらに「くびれ」と「美脚」を目指します。

1日のプログラムは、基本のロングブレス1&2（各1分×2＝2分）、目的別の日替わりロングブレス3種（各1分×3＝3分）、毎日共通のくびれ集中ロングブレス3種（各1分×3＝3分）と、合計8種8分のエクササイズで構成されています。この順序は必ず守ってください。

最初に行う基本のロングブレス2種は、おなじみになった腕を振り下げて一気に息を吐き続ける基本のロングブレス1と、インナーマッスルに意識を集中させて行う基本のロングブレス2です。

次に行う日替わりのロングブレスは、1日3種のエクササイズが目的別に4パターン用意されています。①美バストをつくるロングブレス（1日目&5日目）②背中のぜい肉と二の腕の振袖肉を取るロングブレス（2日目&6日目）③美脚とヒップＵＰに効くロングブレス（3日目&7日目）④くびれを手に入れるロングブレス（4日目）の4パターンです。

日替わり①〜③のロングブレスは1週間で2日ずつ行いますが、④のくびれを手に入れるロングブレスは少々ハードなエクササイズのため、1週間に1日の設定となっています（次ページを参照してください）。

そして最後に行うのは、毎日共通のくびれ集中ロングブレスＳＴＥＰ1〜ＳＴＥＰ3の3種となります。

このローテーションを1週間単位で繰り返すことによって、より短期間でより確実に、カーヴィーなボディがあなたのものになるのです。

即効ブレスプログラム

日替わりロングブレス（各1分）		毎日共通のくびれ集中ロングブレス（各1分）		
		STEP1（P58）	STEP2（P60）	STEP3（P62）
美バストをつくる②（P32）	美バストをつくる③（P34）	○（P58）	○（P60）	○（P62）
背中・振袖肉を取る②（P38）	背中・振袖肉を取る③（P40）	○（P58）	○（P60）	○（P62）
美脚とヒップUPに効く②（P44）	美脚とヒップUPに効く③（P46）	○（P58）	○（P60）	○（P62）
くびれを手に入れる②（P50）	くびれを手に入れる③（P52）	○（P58）	○（P60）	○（P62）
美バストをつくる②（P32）	美バストをつくる③（P34）	○（P58）	○（P60）	○（P62）
背中・振袖肉を取る②（P38）	背中・振袖肉を取る③（P40）	○（P58）	○（P60）	○（P62）
美脚とヒップUPに効く②（P44）	美脚とヒップUPに効く③（P46）	○（P58）	○（P60）	○（P62）

毎日のサイズ記入で身体の変化を実感

プログラムの実践と同時に行ってほしいのが、毎日決まった時間にウエストサイズと体重を計測することです。特にウエストはエクササイズの成果がいちばん最初に出る部分なので、数字で確認してください。

今回は、巻末に「ブレスプログラムチェックシート」を付けました。毎日行ったエクササイズに✓を入れ、ウエストサイズと体重を記入しましょう。エクササイズをサボればどうしても気になりますし、うれしい変化が表れれば翌日のエクササイズに向け、モチベーションが高まります。

まずは4週間。さあ、いますぐに始めましょう！

よくわかる! 1週間

	主な目的	基本のロングブレス(各1分)		目的別の
		1(P20)	2(P24)	
1日目	美バストをつくる	○ (P20)	○ (P24)	美バストをつくる ①(P30)
2日目	背中・振袖肉を取る	○ (P20)	○ (P24)	背中・振袖肉を取る ①(P36)
3日目	美脚とヒップUPに効く	○ (P20)	○ (P24)	美脚とヒップUP に効く①(P42)
4日目	くびれを手に入れる	○ (P20)	○ (P24)	くびれを手に入れる ①(P48)
5日目	美バストをつくる	○ (P20)	○ (P24)	美バストをつくる ①(P30)
6日目	背中・振袖肉を取る	○ (P20)	○ (P24)	背中・振袖肉を取る ①(P36)
7日目	美脚とヒップUPに効く	○ (P20)	○ (P24)	美脚とヒップUP に効く①(P42)

最初の1週間でウエストー3cmも可能です!
翌週以降もこのローテーションを繰り返そう!
巻末のチェックシートを活用して美しい身体を目指しましょう!

ロングブレスで、さらに効率よく身体を
引き締める方法はないだろうか…。
女性の「小顔」「くびれ」「美脚」
願望をかなえてあげたいなぁ。。
1週間
ブレスプログラムを始めよう!
そうか!
1週間単位で
集中エクササイズだ!!
1日目
2日目
よし!
おへその下(丹田)に
力を入れるから
くびれ効果も抜群!
あとは
日毎に目的を
設定しよう!
息を吸ったり吐くことは
それ自体が
小顔には効果的!
うん!
これは効くぞ

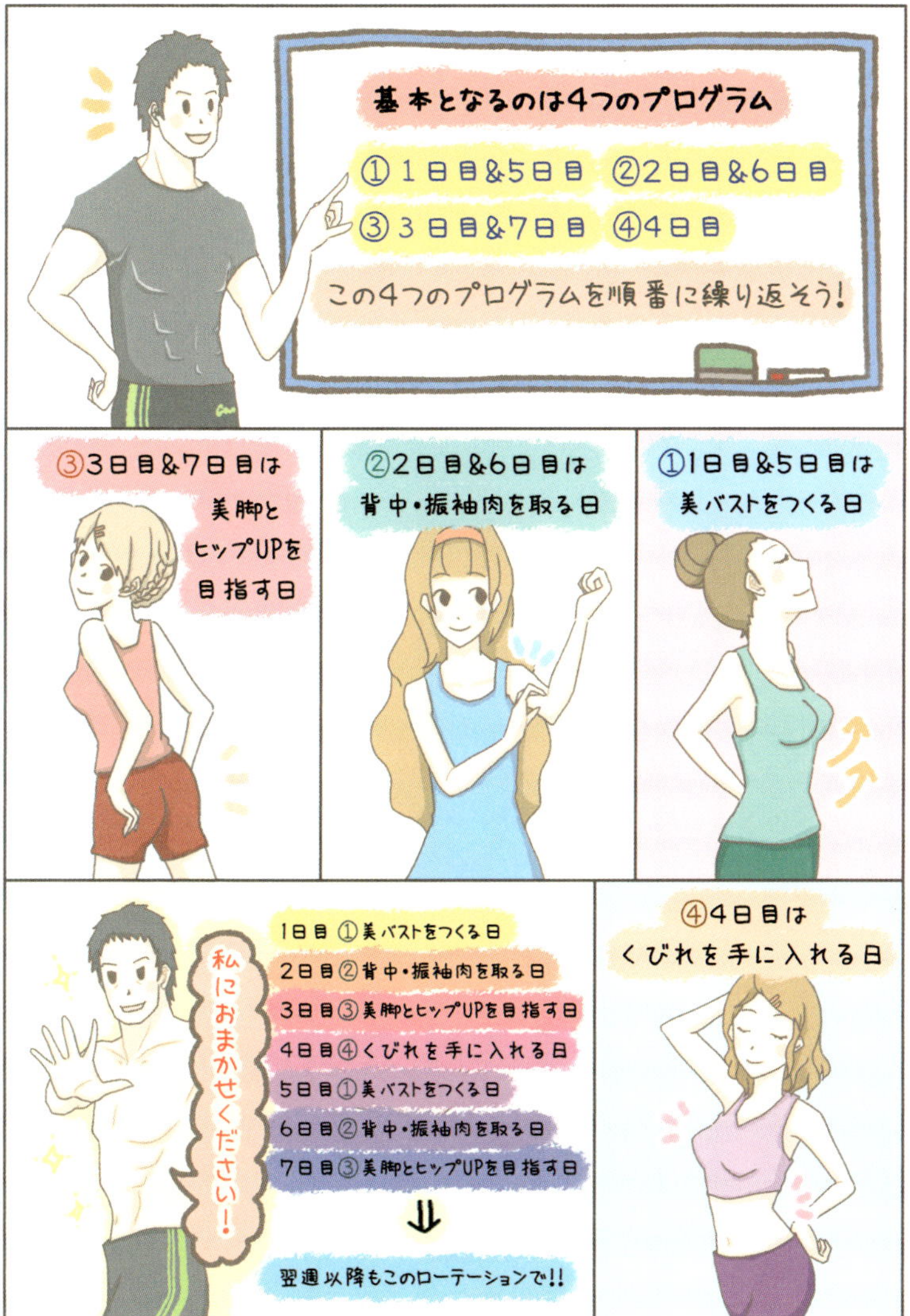
基本となるのは4つのプログラム
①1日目&5日目　②2日目&6日目
③3日目&7日目　④4日目
この4つのプログラムを順番に繰り返そう!
①1日目&5日目は
美バストをつくる日
②2日目&6日目は
背中・振袖肉を取る日
③3日目&7日目は
美脚とヒップUPを目指す日
④4日目は
くびれを手に入れる日
私におまかせください!
1日目①美バストをつくる日
2日目②背中・振袖肉を取る日
3日目③美脚とヒップUPを目指す日
4日目④くびれを手に入れる日
5日目①美バストをつくる日
6日目②背中・振袖肉を取る日
7日目③美脚とヒップUPを目指す日
⇓
翌週以降もこのローテーションで!!

基本のロングブレスを徹底マスター！

体調が悪いときは朝昼夜合計6分の基本のロングブレスだけでも十分

両腕を大きく振り上げたあと、力強く両腕を振り下ろすロングブレス。おかげさまで様々なところで披露させていただいたので、ロングブレスと聞くとこのエクササイズを思い浮かべてくださる方も多いことでしょう。

今回の1週間即効ブレスプログラムでも、基本のロングブレス1&2は毎日1分ずつ計2分間行います。このふたつの基本のロングブレスを正しくマスターすることが、理想の身体を手に入れる近道となります。間違った方法ではいくらやっても効果が得られず、すべてが徒労に終わります。

基本のロングブレス1&2は、特に難しい姿勢をとるわけではありませんが、いつの間にか姿勢が崩れてしまったり、正しい姿勢をキープできなかったりする方が多いようです。付属のDVDを見ながら、大きな鏡の前で自分の姿勢を確認することをおすすめします。頭で思い描いている姿勢と鏡に映った実際の姿勢が、意外に違っていることに気付きます。自分のお腹を鏡で見て、腹筋が割れるなど身体の変化を確認することで、モチベーションも上がります。

ロングブレスの呼吸は、3秒で鼻から息を吸って、3秒で口から一気に吐き、残った息を吐き出した状態で4秒キープするのが原則。この強くて長い呼吸のタイミングも、正しく覚えてください。くれぐれも、深呼吸にならないように！

基本のロングブレス1&2には、「ダイエット効果」をはじめとして、「小顔」「くびれ」「ヒップUP」「振袖肉を取る」「腰痛改善」「便通がよくなる」など、ロングブレスのすべてのエッセンスが凝縮されています。

体調が悪いときには1日8分のプログラムの代わりに、朝昼夜に基本のロングブレス1&2を1分ずつ、計6分間行うだけでも十分な効果が得られます。もっと体調が悪ければ、朝の2分だけでもかまいません。絶対に無理をせず、毎日続けることが何よりも重要です。

また、毎日のエクササイズは必ず、基本のロングブレス1&2→目的別の日替わりロングブレス3種→毎日共通のくびれ集中ロングブレス3種の順番で行ってください。大きな筋肉から小さな筋肉へと力が伝わっていくので、エクササイズの順番もプログラムの重要なポイントなのです。

基本のロングブレス 1

3秒で吸って3秒で一気に吐く！お腹をへこましたまま4秒キープ

3秒でゆっくり鼻から息を吸って、3秒で一気に口から吐く。そのまま残りの息を4秒吐き続ける10秒間の呼吸が、ロングブレスの原則。この10秒間は息を吸うときも吐くときも、お腹をできるだけ引っ込めます。お尻をキュッと引き締めて、体軸の位置を意識しましょう。

1 顔はまっすぐ正面 背筋を伸ばして直立

まずは背筋をまっすぐに伸ばし、顔を正面に向けて体軸を意識しながら直立します。胸を張って姿勢よく。

息を吸うときも吐くときも お尻を締めて丹田に力を込める

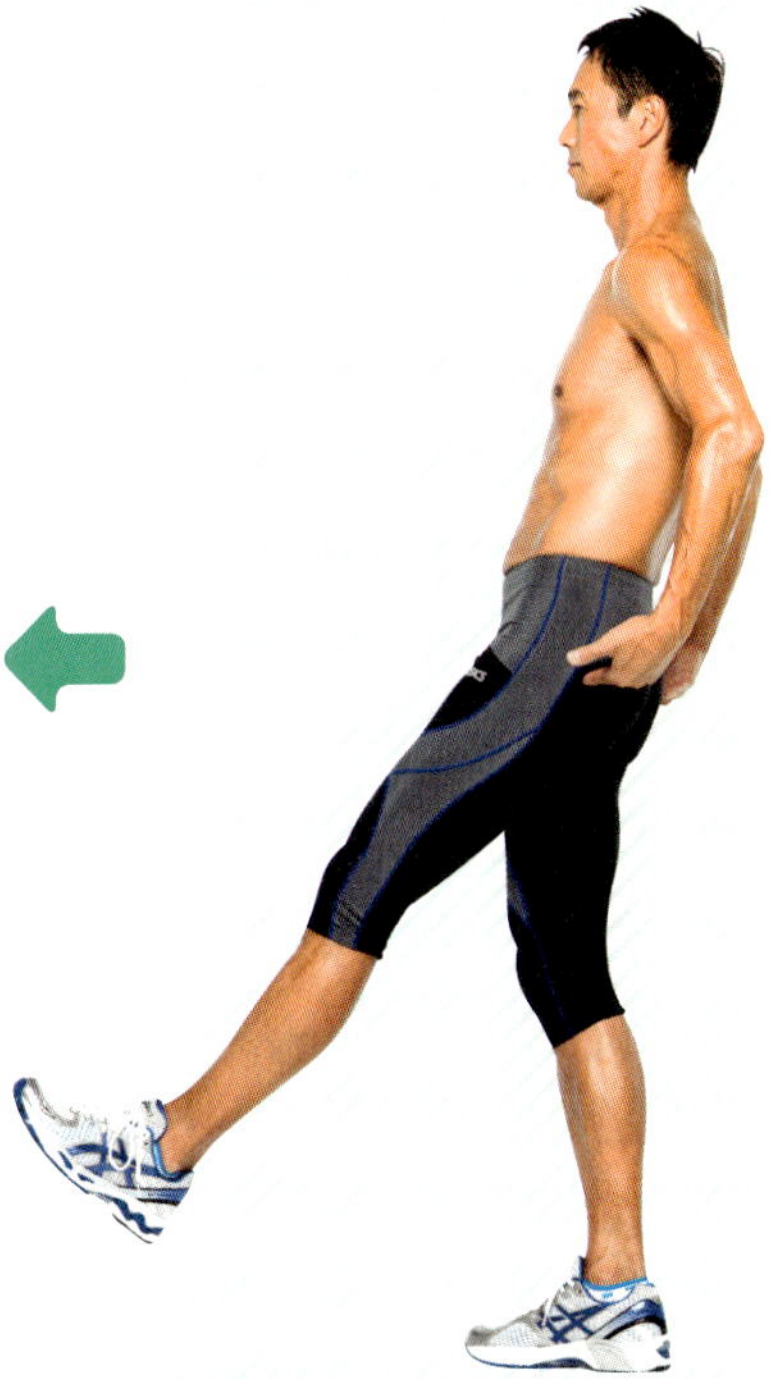

2 お尻をキュッと締め お腹に力を入れて

お尻がキュッと締まっていることを手で確認しながら、前に出した左足のかかとを軽く上下させて、下腹の丹田の位置と筋肉を意識します。

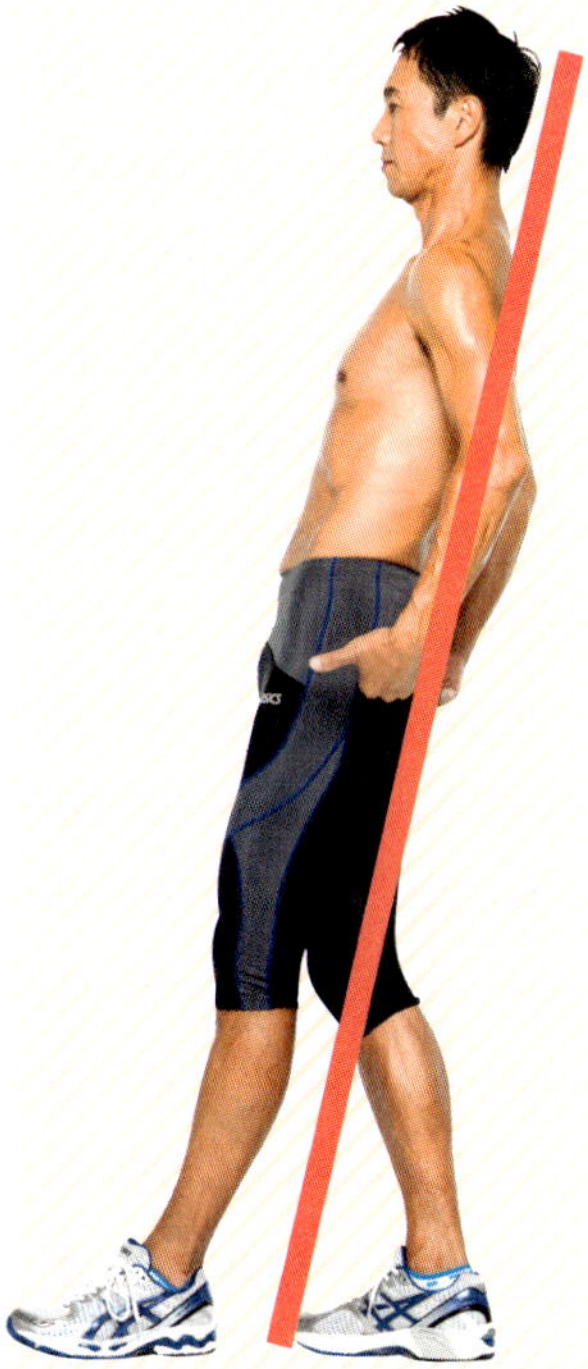

3 重心は後ろに残して 足を前後にずらす

背中から足にかけて一直線になるようにしながら、後ろ足（右足）に9割の重心を移します。身体を反らさずに、重心だけを後ろに残しましょう。

4 腕を振り上げながら3秒で鼻から息を吸う

姿勢をキープしたまま両腕を前方に振り上げ、3秒で鼻から肺活量いっぱいまで息を思い切り吸い込みます。

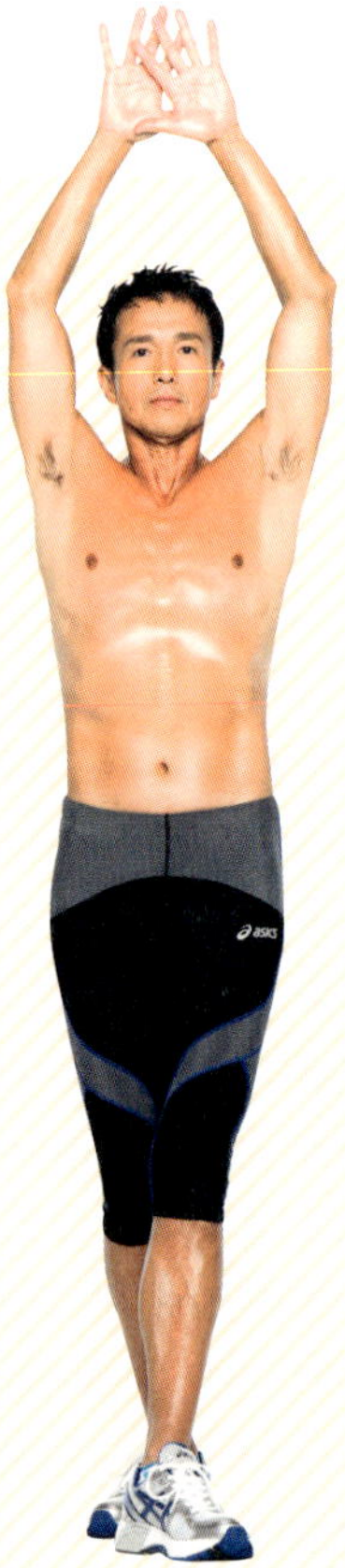

5 腕が頭上にくるまで息を溜め込む

腕が頭の上にきたとき、いちばん息を溜め込んだ状態にします。このときも体の重心は後ろにあります。身体を反らさないように注意。逆に、腰を痛める原因になります。

1回 10 秒×6回＝1分
身体を反らさず、重心は後ろに

6 腕を振り下げながら口から勢いよく3秒息を吐き、4秒間キープする

腕を一気に振り下げながら、ブォーッと音がするくらい強く、口から３秒で一気に息を吐きます。そのあと残った息を４秒間吐き続けて、お腹がへこんだ状態をキープ。１回 10秒の基本のロングブレス1を6回（1分）行いましょう。

基本のロングブレス 2

インナーマッスルを強く意識したくびれに効く呼吸エクササイズ

エクササイズの根幹となる基本のロングブレス1は、完全マスターしましたか？　それでは次に基本のロングブレス2を説明しましょう。これは、腹部のインナーマッスルを強く意識したエクササイズです。息を吸っているときも吐いているときも、お腹はつねにへこんだ状態をキープします。

1 身体の軸を意識してまっすぐ直立する

お尻がキュッと締ったことを手で確認しながら、まっすぐ立ちます。身体を反らさないように注意しましょう。

お尻をキュッと締めたまま へこんだお腹にもっと力を込める

3 もっとお腹をへこませ 4秒間キープしよう

もっともっとお腹をへこませながら、一気に口から３秒で息を吐きます。さらにお腹をへこませる意識で、残りの息を吐いた状態を４秒キープ。1回 10 秒の基本のロングブレス２も6回（1分）行います。

2 3秒で鼻から吸って お腹をへこませる

鼻から３秒でゆっくり肺活量いっぱいまで息を吸い込みます。息を吸うときはお腹に手を当てて、お腹が十分にへこんでいるか確認を。

特別
レッスン
1

オフィスで座ったままできる、忙しいあなたのためのロングブレス

　オフィスでデスクワークをして座っている少しの時間でも、簡単に取り入れることができるロングブレスをご紹介しましょう。

　3秒で鼻から息を吸うところまでは同じですが、そこからできるだけ長く（10〜15秒が目安）、ゆっくりと口から息を吐き続けます。最初は10回から始めて、慣れてきたら回数を増やしてください。丹田に力を入れないと効果はありませんので、注意してください。これなら大きな声を出す必要もなく、人目を気にせずに行えます。

　このロングブレスでお腹の中心の丹田をつねに意識して、少しずつでも鍛えておくと、実際に通常のロングブレスをするときに勢いよく息が吐けるようになるため、効果が倍増します。

お腹をへこませて弱くて長い息を口から吐く

お腹を締める感覚で丹田に力を入れながら、弱くてもいいのでできるだけ長く、キツいと感じるまで口から息を吐きます。

両足を閉じてお尻を引き締める

背筋を伸ばして座り、両足を閉じてお尻を引き締める。丹田に力を入れ、ゆっくりと深く鼻から3秒で息を吸います。

第2章

目的別に集中して鍛える日替わりのロングブレス

毎日行う基本のロングブレスにプラスαする、目的別の日替わりエクササイズです。美バストをつくる、背中・振袖肉を取る、美脚とヒップＵＰに効く、くびれを手に入れる、この４つのパターンをローテーションしていきます。

メリハリのある
美しい
身体をつくる

目的別に効かせるロングブレスで理想のボディラインはあなたのもの

第1章で紹介したふたつの基本のロングブレスの次に行うのが、目的別に集中して鍛える4パターン（1パターンは3種のエクササイズで構成）のロングブレスです。この4つのパターンを1週間のローテーションで続けるようにしてください。

筋肉は1度エクササイズをして負荷を加えたら、回復するまでに時間がかかります。毎日同じ部位ばかり激しいエクササイズを続けると、筋肉にダメージを与えてしまうのです。エクササイズはある程度の時間をあけて規則正しく、バランスよく続けることが、リバウンドしにくい良質な筋肉をつくるためには何よりも大切。筋肉にはインターバル（回復期）が必要です。

今回の1週間即効ブレスプログラムは、筋肉の負担が同じ部分に重ならないように、くびれが必要な部分を適度なインターバルを挟んで、まんべんなく鍛えられるようにプログラミングしてあります。

毎日「今日はここの筋肉に効かせるぞ！」と意識を持って、エクササイズを続けてください。

ここでご説明する目的別の日替わりロングブレスは、必ずふたつの基本のロングブレスを済ませてから、身体の代謝を高めたあとに行うようにしてください。最初に大きな筋肉、そのあとに小さな筋肉の順番でトレーニングするのが効果的だからです。

目的別の日替わりロングブレスは①美バストをつくる（1日目&5日目）、②背中・振袖肉を取る（2日目&6日目）、③美脚とヒップUPに効く（3日目&7日目）、④くびれを手に入れる（4日目）、という4つのパターンがあります。それぞれ3つのエクササイズで構成されていて、すべて1分ずつ合計3分のメニューになっています。

④のくびれを手に入れるためのロングブレスは、ウエスト周りのシェイプに特化させたエクササイズです。4つのパターンの中ではいちばんハードなメニューなので、筋肉の回復期を考えて1週間に1度の設定になっていますが、それだけで十分な効果が得られます。そのほかの①～③のロングブレスは、週2回の設定になっています。

1週間のローテーションをもう1度14ページの表で確認してから、正しい方法でエクササイズを始めましょう！

胸の内側と外側を集中シェイプ！

1日目＆5日目
美バストをつくるロングブレス 1

1日目&5日目は、美しいバストとデコルテをつくるのためのエクササイズ。胸の内側と外側の両方の筋肉を意識して、6回繰り返します。身体が前のめりにならないよう、基本のロングブレス1と同様に、後ろ足に重心を置いた姿勢をキープするようにしてください。

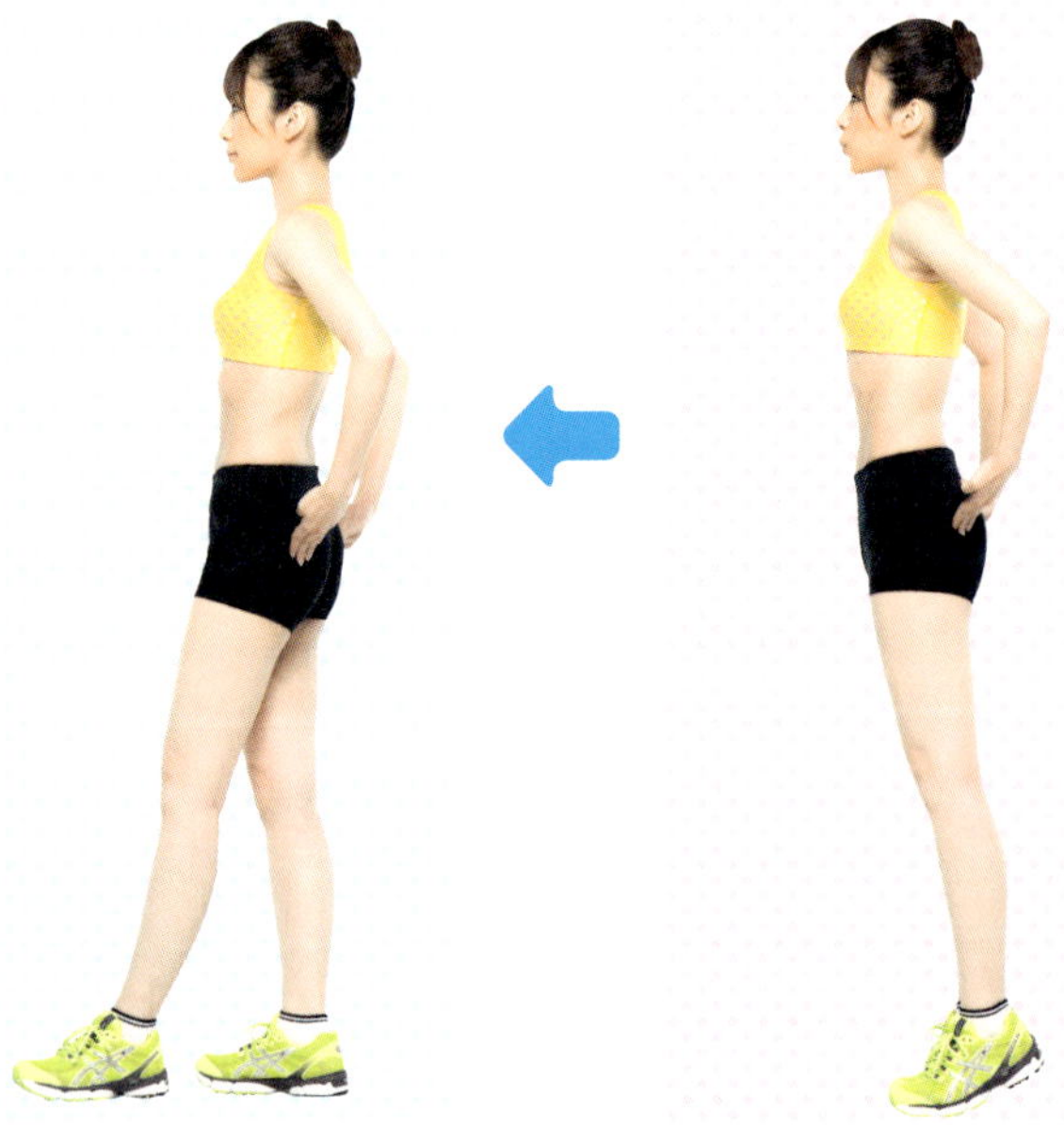

1 かかとを上下させてお腹の筋肉を確認

基本のロングブレス1と同様にお尻を締めて、お腹の筋肉を意識します。かかとを上下させるとお腹の筋肉の位置が確認しやすくなります。

2 足を前後にずらして重心は後ろに9割

左足を前にして、足を前後に開いて身体の軸を安定させます。上半身が前のめりにならないように注意しましょう。お尻に手を当て、力が入っているか確認することも忘れずに。

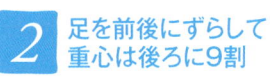

3 頭上で手のひらを合わせ3秒で息を吸う

鼻からゆっくり大きく3秒で息を吸いながら両腕を頭上へ。手のひらを合わせた状態で、両方から押し合うように力を入れます。

4 息を吐きながら両腕を胸の前へ

口から勢いよく3秒で息を吐きながら両腕を一気に胸の前へ。さらに残った息を4秒吐き続ける。腕が身体から離れないように気をつけて、10秒×6回（1分）繰り返します。

肩甲骨を意識して水平に腕を開く

1日目＆5日目

2 美バストをつくるロングブレス

背中の肩甲骨を意識しながら、両腕を大きく動かして胸の筋肉を鍛えます。腕はつねに地面と平行になるようにして、バストと同時に二の腕のシェイプUPも狙いましょう。顔の前では両手の甲とヒジをぴったりと合わせるようなつもりで。

1 両腕を大きく開き鼻から3秒息を吸う

背中にある両対の肩甲骨をくっつけるようなイメージで、両腕を地面と水平にして大きく開きながら、鼻から3秒で大きく息を吸います。

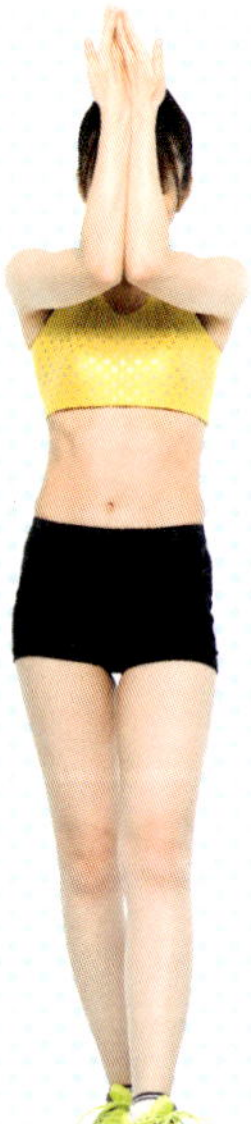

2 息を吐きながら両腕を顔の前へ

一気に口から３秒で息を吐きながら、足を踏み出して両腕を顔の前で重ねます。そのまま残った息を吐いて４秒キープ。このときに両手の甲とヒジがぴったりとくっつくように。

3 最初の位置に戻り 3秒息を吸い込む

足を元の位置に戻して、1の動作を繰り返します。身体が前のめりにならないように。また、お尻とお腹に力が入っているか確認しましょう。

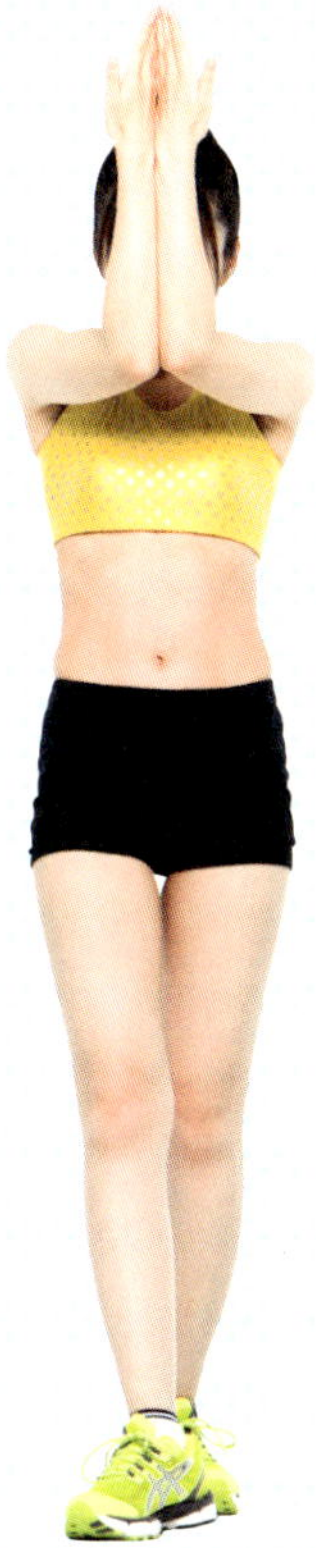

4 お腹に力を入れて 息を限界まで吐く

今度は逆の足を踏み出して、2の動作を繰り返します。限界まで吐き切ったと感じたあとも、お腹から力を抜かず、さらにへこませて。左右交互に３回ずつ10秒×６回（１分）繰り返します。

1日目＆5日目

3 美バストをつくるロングブレス

両手の甲とヒジをくっつけて美しいデコルテを目指す！

美バストをつくる日替わりロングブレスの最後は、バスト周辺の筋肉を強力に引き締めるエクササイズです。両腕を頭上にまっすぐ伸ばしたあと、大きな円を描くようにしながら、胸の前で両手の甲とヒジを合わせます。このエクササイズも10秒×6回（1分）繰り返します。

1 身体を反らさずに重心は後ろに置く

足を前後にずらした基本のロングブレス1の基本姿勢からスタート。胸を張るイメージで肩を左右にできるだけ開くようにします。お尻とお腹に力を入れる意識を忘れずに。

2 3秒息を吸いながら両腕を頭上へ

3秒で鼻から大きく息を吸いながらお腹をへこませ、背伸びをするように両腕を頭の上にまっすぐ伸ばします。前のめりにならないよう注意。

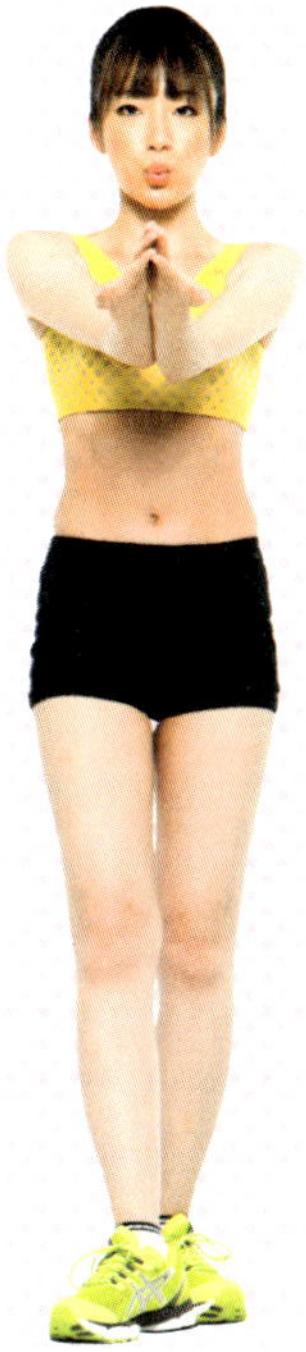

3 両手の甲とヒジをぴったり合わせる

ブォーッと口から3秒で息を一気に吐きながら、大きく腕を回して胸の前へ。両手の甲からヒジにかけてがぴったりと合うように、腕の内側の筋肉をひねってください。この状態で残りの息を吐き4秒キープ。

取れにくいぜい肉をエクササイズで撃退！

2日目＆6日目

背中・振袖肉を取るロングブレス 1

目的別の日替わりロングブレス2日目&6日目は、背中の肉と上腕の振袖肉がターゲット。つねに下腹に力を入れる意識を持ち、腕の位置が肩より下に落ちないように気をつけましょう。このエクササイズも、左右交互に3回ずつ10秒×6回（1分）です。

1 お尻を引き締めて腕を前に伸ばす

お尻を引き締め、両腕を身体の前へまっすぐ伸ばした状態で、ゆっくり鼻から3秒で息を吸い込みます。指先までしっかり伸ばしてください。

2 息を吐きながら両腕を大きく水平に開く

足を前に踏み出し、両対の肩甲骨を背中の中心に寄せるような感覚で両腕を思い切り左右に開きながら、3秒で口から一気に息を吐きます。この状態で残りの息を4秒吐き続ける。

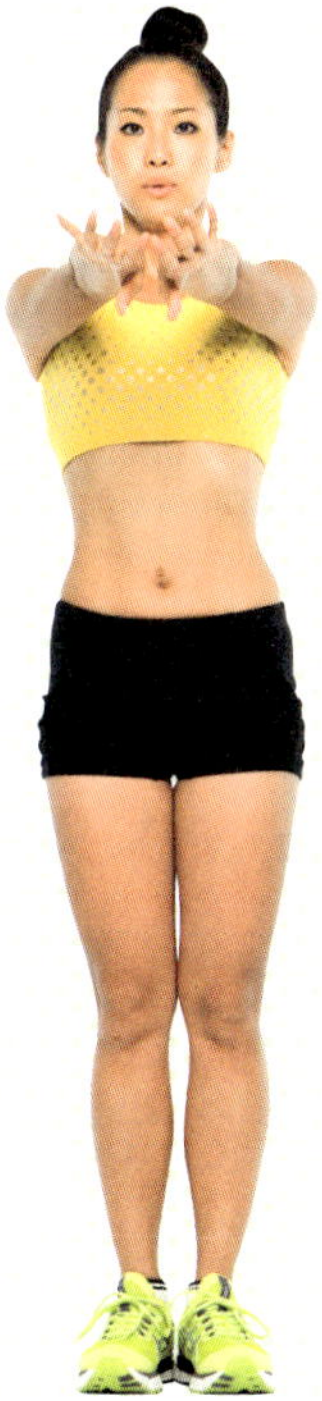

3 息を吐き切ったら足を最初の位置に

口から４秒息を吐き続けた状態をキープしたら、足を最初の位置に戻し、また３秒で鼻から息を吸います。お腹はずっとへこませたままです。

4 再び息を吐きながら反対の足を前へ

３秒で口から一気に息を吐きながら、2と反対の足を一歩前へ踏み出します。左右に開いた両腕はつねに地面と平行を保ち、肩の位置より下がらないように！

2日目＆6日目

2 背中・振袖肉を取る ロングブレス

腕が痛くなるまで筋肉を緊張させ振袖肉を集中シェイプUP！

振袖肉を徹底的に撃退するためのエクササイズです。腕はできるだけ後ろに引くように心がけてください。腕を後ろに引けば引くほど効果的です。何度か続けるうちに身体もほぐれてきて、腕が動くようになります。鏡で腕の位置をチェックしながらがんばりましょう！

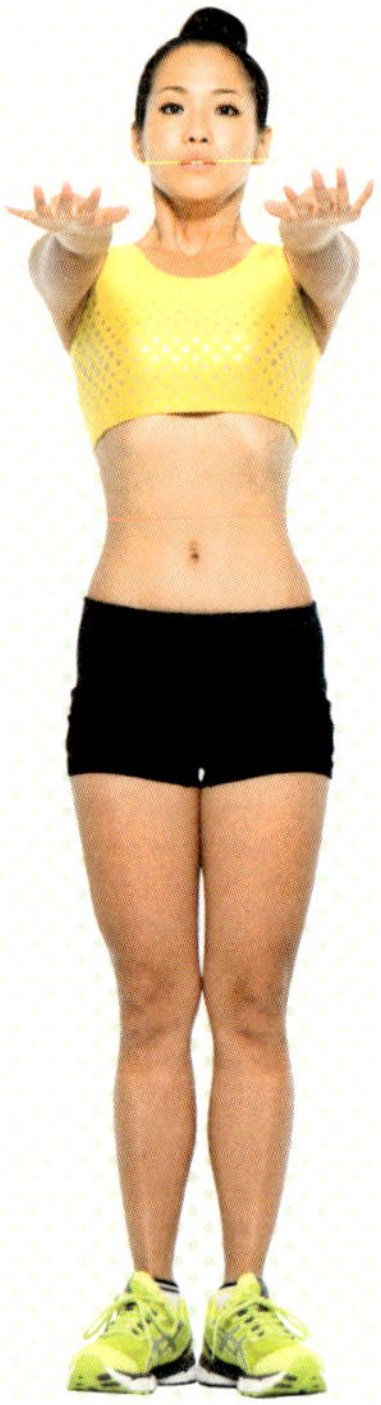

1 お腹をへこませてまっすぐに立つ

お尻とお腹の筋肉を意識して引き締め、3秒で鼻から息を吸いながら、両腕を前に伸ばす。腕を伸ばすと体軸が前に傾きがちになるので注意。

2 足を踏み出して息を吐きながら腕を思い切り後ろに振り上げる

足を前に踏み出し、3秒で口から一気に息を吐きながら、両腕を大きく後ろに引きます。振袖肉の部分が痛くなるくらい両腕を後ろに引くと、効果絶大ですよ。その状態で残りの息を4秒吐き出します。反対の足でも同じ運動を繰り返し、左右交互に3回ずつ10秒×6回（1分）。

2日目＆6日目

3 背中・振袖肉を取るロングブレス

僧帽筋と足の動きを連動させて肩のラインをなめらかに整える

腕と足の動きを連動させたロングブレスです。僧帽筋（首の付け根から両肩に広がる背中の表層にある筋肉）をなるべく大きく動かしながら、足もできるだけ高く上げるように心がけてください。背中・振袖肉の撃退だけでなく、肩こり改善にも大きな効果が期待できます。

1 両ヒジを直角に曲げ腕は肩と同じ高さに

3秒で鼻から息を吸いながら腕を肩の高さまで水平に上げ、ヒジを直角に曲げます。僧帽筋をしっかりと意識して、肩を動かしましょう。

2 息を吐きながら一気に腕を下げ 同時に片足を高く上げる!

３秒で口から勢いよく強い息を吐きながら、腕をまっすぐ振り下ろします。同時に片足をできるだけ高く上げてください。お腹に力を入れながら、片足でバランスをとるように踏ん張りましょう。この状態で残りの息を４秒で吐きます。左右の足で交互に3回ずつ10秒×６回（1分）。

下半身のラインを美しくしなやかに！

3日目&7日目
1
美脚とヒップUPに効くロングブレス

3日目&7日目の日替わりロングブレスは、下半身が中心です。まずは腕と反対の足を大きく前に踏み出しながら、足全体を引き締めます。最初はふらつくかもしれませんが、ゆっくりと動くことで確実な動きを身に付けましょう。もちろん、呼吸もタイミングよく!

1 お尻に力を入れてお腹も引き締める

かかとを上下に動かしながら、お尻の筋肉の位置を確認。同時に丹田にも力を入れて直立し、鼻から3秒で息を吸います。

2 右腕と左足を大きく前へ

3秒で一気に口から息を吐きながら、右腕と左足を同時に大きく前へ。左腕は大きく後ろに引きます。この姿勢をキープして、残りの息を4秒で口から吐きます。

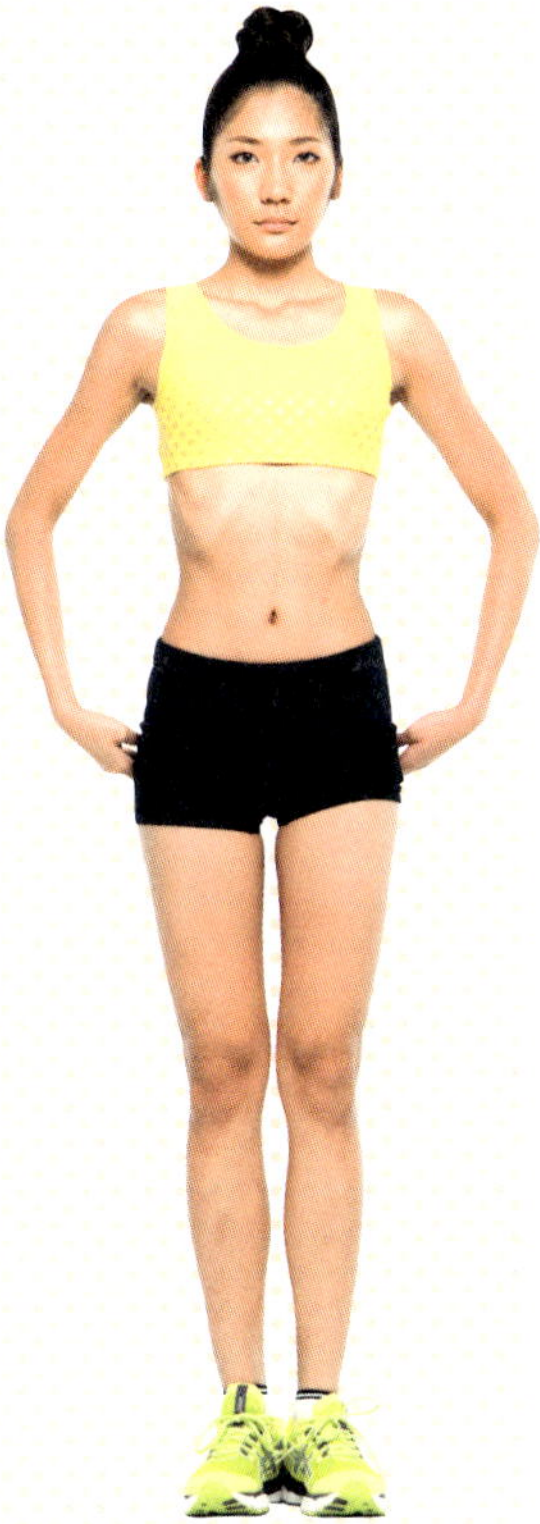

3 最初の位置に戻って体軸を再び確認

最初の位置に戻って体軸を再び確認します。足を動かす運動でもポイントになるのはお腹（丹田）。つねに力を入れて。3秒で鼻から息を吸って再スタートしましょう。

4 左腕と右足を前に出しながら息を吐く

2とは逆に、今度は左腕と右足を前へ出しながら息を吐きます。腕と同じ側の足を踏み出さないように注意。左右交互に3回ずつ10秒×6回（1分）繰り返します。

足の内側を整えて まっすぐな美脚に

3日目＆7日目
2
美脚とヒップUPに効く ロングブレス

足の内側の筋肉を整えるためのロングブレスです。足の内側の筋肉を意識しながら、軸足のかかとはつけたまま、左右に大きく足を踏み出します。足の内側に筋肉がついてくるとO脚も自然に改善。さらに血流もよくなって、むくみの撃退にもなります!

2 足の内側に力を入れ 左にスライドさせる

足の内側に力を入れて、3秒で口から一気に息を吐きながら、左足を真横にスライド。同時に右腕は押すように左足側へ伸ばし、左腕は後ろに大きく引きます。このとき、残した右足のかかとが浮かないようにしましょう。この状態で残りの息を4秒間吐き続けます。

1 お尻とお腹を締め 体軸を確認します

お尻とお腹をキュッと締めて、体軸を確認してまっすぐに立ちます。お腹をへこませて、大きく3秒で鼻から息を吸い込んでスタート!

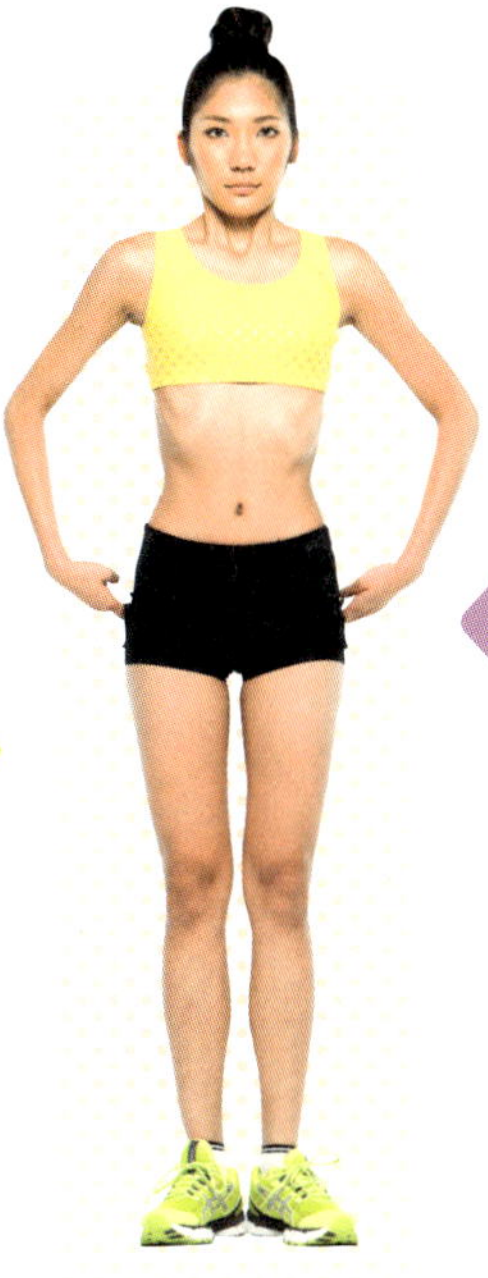

4 左右交互に3回ずつ計6回繰り返す

３秒で口から一気に息を吐きながら、今度は右足を真横へスライド。左腕は押すように右足側へ伸ばし、右腕は後ろに引きます。吐ききったあともお腹をへこませた状態のままで、残りの息を口から吐き出して4秒キープ。左右交互に3回ずつ10秒×6回（1分）繰り返します。

3 最初の位置に戻り再び体軸を確認

残りの息を４秒で吐き切ったら、最初の位置に戻って体軸を再び確認します。お腹にはずっと力を入れたまま。すぐに鼻から3秒で息を吸って、再スタートします。

3日目＆7日目

3

美脚とヒップUPに効くロングブレス

キュッと上がったお尻のためのスペシャルなスクワット！

スクワットでキュッと上がったお尻を目指します。腰は深く落とす必要はありません。一気に腰を上げると重心が保てなくなるので、かかとをつけたまま強く3秒吐き、次にかかとを上げて残りの息を4秒吐いてキープします。2段階に動きを分けて、体軸がぶれないようにしましょう。

1 かかとを上下し体軸を確認

肩幅に足を開き、お尻に力を入れながらかかとを上下させて、お尻とお腹の筋肉、そして体軸を確認。確認後、直立の姿勢になります。

2 無理ない位置に腰を落とす

3秒で鼻から息を吸いながら、腰を無理のない位置までゆっくりと落としていきます。通常のスクワットよりも浅い位置までで十分です。

3 息を吐きながら腰を上げる

一気に3秒で口から息を吐きながら、かかとはつけたまま、やや前傾姿勢で腰を上げます。一度に上げると身体がぶれやすいのでゆっくりと。

4 お腹をへこませ伸び上がる

息を吐き切ったあとはかかとを上げて、残りの息を4秒吐き続けます。身体をピンと伸ばして、お腹はひっこめたままです。10秒×6回（1分）。

ウエストを引き締め
ハミ肉を徹底解消！

4日目
1
くびれを手に入れる
ロングブレス

4日目の日替わりロングブレスは、ウエスト周りの集中シェイプUPです。キュッとくびれたウエスト、へこんだ下腹を目指します。ポイントはできるだけ捻転差のある動きを目指すこと。身体を意識してひねり、しなやかな筋肉を手に入れましょう。

2 手を上げて身体をひねる

3秒で口から一気に息を吐きながら左足を斜め右前に踏み出し、右腕は引っ張られるように上げ、お腹をひねる。残りの息を吐いて4秒キープ。

1 お尻に力を入れまっすぐ立つ

お尻をキュッと引き締め、お腹に力を入れて鼻から3秒でゆっくりと深く息を吸います。身体はまっすぐに。

3 息を吐き切って最初の位置へ

口から４秒息を吐き切ったら最初の位置へ。身体がふらつかないようにお腹はつねに力を入れて、腰を安定させます。鼻から３秒で大きく息を吸って、再スタートします。

4 息を吐きながら逆方向へひねる

再び口から３秒で息を吐きながら、逆方向へ身体をひねります。腕はできるだけ上げて、反対の腕は大きく後ろに引きます。この状態で残りの息を吐いて４秒キープ。左右交互に３回ずつ10秒×６回（１分）行います。

4日目

2

くびれを手に入れるロングブレス

インナーマッスルからアウターマッスルへ「くびれ」の連鎖

息を吐きながら足を振り上げ、両腕を振り下ろすロングブレス。お腹にしっかりと力が入っていれば、体軸がぶれることはないはずです。インナーマッスルからアウターマッスル（体の表面に近い筋肉）へ効果が波及しているのを感じ始めたら、理想のくびれもすぐそこです。

1 息を吸いながら両腕を上げる

お尻をギュッと引き締めたら両腕を上げて、頭上で手のひらを合わせます。鼻から3秒で息を深く吸ってスタート。

2 足を前に上げて両腕を下げる

3秒で口から一気に息を吐きながら、左足を振り上げると同時に両腕を胸の前に振り下げます。鏡の前で足の裏が見えるくらいの高さまで足を上げた状態で、残った息を4秒で吐き切りましょう。

3 元の位置に戻り深く息を吸って

4秒で口から息を吐き切ったら最初の位置に戻って、再び鼻から3秒で息を深くゆっくりと吸い込みます。

4 右足を上げて息を強く吐く

3秒で口から息を吐きながら右足を振り上げ、両腕を胸の前に振り下ろす。身体がグラグラしない状態で残りの息を吐いて4秒キープ。左右交互に3回ずつ10秒×6回(1分)。

腹斜筋をバランスよく鍛えよう！

ウエストラインをきれいに見せるために大切なのが、腹斜筋（脇腹付近の筋肉）のシェイプUP。この部分が引き締まると、ウエストにくびれが生まれるのです。腰をひねりながらロングブレスを繰り返して、理想のボディを手に入れましょう。

1 頭上で手のひらを合わせる

お腹に力を入れた状態で腕をまっすぐ頭上に。手のひらを合わせて、3秒で鼻から息を吸い込みます。

2 息を吐きながら身体をひねる

左足を斜め右前に踏み出しながら左に上半身をひねって、口から3秒で一気に息を吐きます。両腕は左後方に振り下げ、なるべく捻転差を出すように。この状態で息を吐き切り4秒キープ。

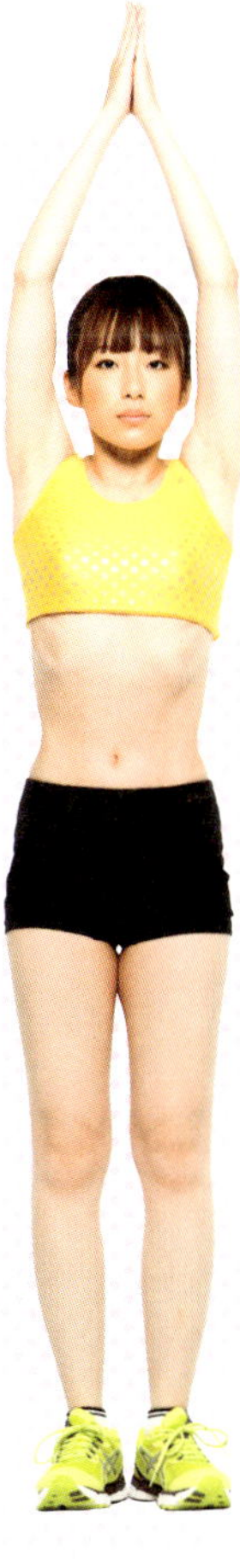

3 最初の位置に戻り3秒で息を吸い込む

息を吐き切ったら最初の位置に戻って、身体を上下に引っ張るようにして姿勢を整えてから、1と同じポーズを。口から3秒で大きく息を吸って、再スタートします。

4 右足を踏み出して右方向へひねる

3秒で息を吐きながら右足を踏み出し、同時に両腕は一気に右後方に振り下げて捻転差を出す。この体勢で残りの息を吐いて4秒キープ。左右交互に3回ずつ10秒×6回（1分）。

特別レッスン 2

通勤電車の中でも簡単にできる、いつでもどこでもロングブレス

揺れる電車の中、吊革につかまっている状態でも、ロングブレスは有効です。というより、もしかしたら満員電車ほどロングブレスに適している場所はないかもしれません。揺れている電車の中では、自然とお尻を引き締め丹田を意識しているだけでなく、身体をまっすぐにして体軸を保持しようとしているからです。

まずは鼻から3秒で深く息を吸って、10～15秒を目安にできるだけ長くゆっくりと、口から息を吐き続けます。この呼吸法も最初は10回から始めて、慣れてきたら回数を増やしてください。

吊革につかまりながらお尻をキュッと引き締め、丹田を意識しながら、弱くてもいいので、できるだけ長く息を吐いてみましょう。

吸う

お尻を引き締めてまっすぐな姿勢で立つ

かかとを上下させてお尻を引き締め、お腹をへこませた状態でまっすぐ立ち、鼻から3秒で大きく息を吸い込みます。

吐く

弱く長く息を吐きながらお腹を締めていきます

さらにお腹をへこませ、口から弱い息をゆっくり長く吐きます。息を吐くときはもっともっとお腹をへこませて！

第3章

毎日共通のくびれ集中ロングブレス

ふたつの基本のロングブレス、目的別の日替わりロングブレスのあとで毎日最後に行うのが、くびれ集中ロングブレスです。主にウエストサイドを引き締め、美しいくびれを目指します。

カーヴィーな
ウエストラインは
あなたのもの

カーヴィーなボディの重要パーツウエストラインを徹底シェイプUP！

くびれのあるカーヴィーなボディをつくる上でいちばん重要な部分が、ウエストのくびれ。このライン次第で全身の印象が大きく変わってきます。

「基本のロングブレス1&2」、そして「目的別の日替わりロングブレス」でインナーマッスルを収縮させた身体は、筋肉の温度が上がり代謝がとても高まっている状態にあります。そんな理想の状態のとき、毎日のプログラムの仕上げとして、最後に取り入れるのが「毎日共通のくびれ集中ロングブレス　STEP1〜3」です。このエクササイズを最後に行うことで、短時間で効率的にウエストサイドのラインを引き締め、くびれをつくることができます。

インナーマッスルを鍛えると、アウターマッスルに効果が出やすい状態になります。たとえば「腹筋を出したい」のなら、最初から腹筋運動をするよりも、インナーマッスルから鍛えたほうが近道なのです。

しかも、インナーマッスルから鍛えた身体は、ナチュラルに筋肉がつきやすいため、ボディビルダーのようにマッチョすぎる身体になることもありません。安心して取り組んでください。

この段階までくると、疲れてお腹をへこませられなかったり、呼吸法がおろそかになっている方もいらっしゃると思います。それでは効果がありませんよ。

くびれ集中ロングブレスは、理想の美しい身体をつくる最後の仕上げに欠かせない運動ですから、毎日順番を守ってしっかりとこなしてください。

すべてのエクササイズに共通する注意点は、腰が反りすぎないようにすることです。身体を一直線にして重心を後ろにしようとするあまり、腰を反らせていると逆に腰痛の原因になりかねません。身体の重心を後ろにするには腰を反らせるのではなく、お腹の中心（丹田）を締めることによって身体の軸を安定させてください。

ただし、絶対に無理はしないこと。体調が悪いときは朝昼夜に基本のロングブレス1&2を1分ずつ1日6分で十分な効果があります。また、もっと体調が悪ければ、朝起きたときに基本のロングブレス1&2を1分ずつ2分だけでもいいのです。何よりも毎日続けることが大事です。

毎日共通

くびれ集中
ロングブレス
STEP 1

腰周りのぜい肉を筋肉に変えて理想のＸラインを！

ウエストサイドのラインを集中的に整えるためのロングブレス。縮めている側の筋肉は柔らかくしつつ、伸ばしている側の筋肉を引き締めるように意識してください。続けているうちに身体が前屈気味になってしまうので、後ろに重心をかけ続けることを忘れずに。

1 ヒジを曲げて両腕は胸の高さに

足を肩幅に開いて、ヒジを曲げて両腕を胸の位置まで引き上げます。脇腹に意識を集中させ、鼻から３秒で息をゆっくりと深く吸います。

2 一気に腕を伸ばして身体を横に倒す

両腕を交差させるような感覚で伸ばしながら、口から３秒で勢いよく息を吐き、上半身を横に倒していきます。この状態で残りの息を吐いて、４秒キープします。

3 最初の姿勢に戻って腕を大きく広げる

身体を最初の位置に戻したら、再び鼻から3秒で深く息を吸っていきます。このとき、両対の肩甲骨がくっつくくらい、できるだけ大きく腕を広げます。つねに身体が前に傾かないように心がけてください。

4 腕を交差させて身体を反対へ倒す

3秒で口から一気に息を吐き出しながら、2とは反対方向に上半身を倒します。両腕は交差するような感覚で伸ばします。ウエストサイドの筋肉を意識しながら、伸ばしている方を引き締めるように。この状態で残りの息を吐いて4秒キープ。左右交互に3回ずつ10秒×6回（1分）。

毎日共通
くびれ集中
ロングブレス
STEP 2

落としにくい ウエストサイドの ぜい肉を撃退する！

いわゆる「割れた腹筋」をつくるために最適なロングブレスです。腹斜筋を鍛えることで、ウエスト周りのぜい肉を引き締め、スッキリとしたお腹を目指します。きちんと続ければ、ウエストだけでなく二の腕のシェイプUP効果も期待できます。

1 両腕を水平に伸ばし 足を肩幅に広げる

足を肩幅に開きながら、両腕を真横へ地面と水平に上げます。お腹とお尻の筋肉を意識して、鼻から3秒で息を深くゆっくり吸い込みます。

2 左腕は水平のまま 身体をツイスト

左足を右前方に折り曲げ、左腕は水平を保ったまま、右腕はガッツポーズのような姿勢をとって身体を左にツイスト。左腕はなるべく後ろに引くように身体をひねり、口から3秒で一気に息を吐きます。

3 前傾に注意して最初の位置に戻る

2の体勢で残った息を口から4秒で吐いたら、最初の位置へ。腕を真横へ水平に伸ばし、再び鼻から3秒で息を吸い込みます。身体が前のめりにならないように注意しましょう。

4 身体を右へツイスト ヒザは高く上げる

口から強く3秒で息を吐きながら、2と逆方向の右側に身体をツイスト。右腕は水平にしてなるべく後ろに引き、左前方に右足を上げるとき、ヒザはできるだけ高い位置に。左右交互に3回ずつ10秒×6回（1分）。

背中のブラ肉をシェイプして最後の仕上げ！

毎日共通
くびれ集中
ロングブレス
STEP 3

背中からウエストにかけてのぜい肉を引き締めるロングブレス。上半身がきちんとひねれているか確認するため、最初は鏡の前で確認しながら試してください。ウエストの背中部分の筋肉が熱くなってきたら効いている証拠。左右交互に3回ずつ10秒×6回（1分）繰り返します。

1 両足を軽く開き ゆっくり息を吸う

両足を軽く開いてお尻を引き締めながら、鼻から3秒でゆっくりと深く息を吸い込んでいきます。お腹をへこませることも忘れずに！

2 右腕は後方の壁を押し出す感覚で

勢いよく口から3秒で息を吐きながら、上半身を左へ水平回転させます。右腕は後ろの壁を押すような感覚で伸ばし、左腕はできるだけ後ろへ引っ張ります。この体勢で息を4秒吐き続けます。

3 最初の位置に戻り鼻から3秒で吸う

最初の位置に戻って、再び鼻から3秒で深くゆっくりと息を吸い込みます。かかとをしっかりと地面につけて、前傾姿勢にならないように。

4 右腕の位置に注意して再び身体を回転

左腕を後ろの壁を押すように伸ばしながら上半身を右へ水平回転させ、鼻から3秒で一気に息を吐く。右腕が下がらないように注意。この体勢で、残りの息を4秒で吐き出します。腰が上半身と一緒に後ろを向かないようにしましょう。

ロングブレスダイエットは
朝起きてすぐの時間がゴールデンタイム！

「ロングブレスはいつやると効果的なの?」
みなさんからそんな質問をいただくことがあります。答えは、朝起きてすぐがゴールデンタイムです。というのも、寝ているときは身体の代謝が高まっているので、朝起きてすぐの時間は身体がもっと代謝をしたがっている状況だからです。

このタイミングでロングブレスのような代謝を上げる運動をすると、さらに効率がいいのです。朝から代謝を上げることによって、起き抜けの顔のむくみもスッキリしますし、内臓の動きを促進するので、お通じもよくなります。また、身体の隅々まで血流の勢いがよくなるから、冷え性にも効果が期待できます。そして、何よりもカロリー消費しやすい身体になります。

もちろん、朝以外でも効果はあります。寝ている間は筋肉が発育しやすい状態でもあるので、筋肉で身体を大きくしたい男性には、就寝前の運動もおすすめです。シャワーを浴びて眠れば不眠症の改善にもなります。ぜひ、お試しください。

第4章

ウォーキングを
取り入れよう

毎日のブレスプログラムのあとに取り入れると効果的なのが、ロングブレスをしながらのウォーキング。運動で身体の代謝が高くなっているから、１歩目から確実に効きます！

ブレスプログラムの
直後に歩くと
効果的

1歩目から脂肪の燃焼効率が高まりダイエット＆ヒップUPに最適！

ロングブレスダイエットには、エクササイズのほかにもうひとつの柱があります。それが、ウォーキングです。ロングブレスで身体の代謝を高めたあとに取り入れると、1歩目から脂肪の燃焼効率が高くなるので、ダイエットに効果的です。

ふたつの基本のロングブレスを1分ずつ2分行った直後に歩いても十分に効果はあるのですが、1週間即効ブレスプログラムをこなしたあとならば、さらなる効果が期待できます。

ロングブレスウォーキングの特徴は「4歩で鼻から吸って、4歩で口から吐く」を繰り返しながら、つねにお腹を締める意識で、リズムよく歩き続けることにあります。

これは持論ですが、普通のウォーキングのような有酸素運動だけでは、お腹はへこみません。歩いているときは、つねにお腹を締める意識を持つことがポイントです。

また、身体が前のめりにならないように注意してください。

足はかかとから着地するようにして、後ろ足をなるべくまっすぐに伸ばすように送っていきます。この後ろ足の伸びが、ヒップUP効果にもつながっていきます。

ウォーキングは散歩ではありません。ただラクに歩くのではなく、筋肉を使ってタイミングよく呼吸法を繰り返してこそ、結果が出るのです。ロングブレスウォーキングにはちょっとしたコツがありますが、一度覚えてしまえば簡単。けっしてラクな運動ではありませんが、短期間で確実に結果が表れます。

ここでは本格的なロングブレスウォーキングではなく、その初級編ともいえるロングブレスウォーキングをご紹介します。初級編といっても、「4歩で鼻から吸って、4歩で口から吐く」基本は同じですし、効果も変わりません。手をお腹に当てて身体の捻転差を確認しながら、肩を前後に動かして歩きましょう。

1週間即効ブレスプログラムとウォーキングを組み合わせれば、最高のエクササイズになります。1日10分～20分歩くのが理想的ですが、まずは駅までの数分だけでもいいので、ウォーキングを取り入れてみましょう。

ウォーキングでは特に腸腰筋が鍛えられるので、続けているとバレリーナのような颯爽とした歩きが自然に身に付いてきます。歩き方に若さが出てくるのです。

基本の
ロングブレス
ウォーキング

4歩で鼻から吸って
4歩で口から吐く！

「4歩で鼻から吸って、4歩で口から吐く」が、ロングブレスウォーキングの基本。今回は身体の捻転差を確認しながら丹田の脇に手を当てて、肩を前後に動かすようにして歩きましょう。お尻に力を入れることも忘れずに。ダイエット効果だけでなく、ヒップUPも期待できます。

1 お尻を引き締めて肩と反対の足を前へ

最初の4歩は鼻から息を吸いながら、足を進めていきます。後ろ足を伸ばして、身体が前のめりにならないようにしましょう。

2 ヒザを伸ばしながらかかとから着地

ヒザを伸ばしながら、かかとから着地するようにして一歩を踏み出したら、後ろ足をまっすぐに。踏み出した足と逆の肩を前に出します。

踏み出した足はやや外側に開き かかとから着地する

踏み出した足は、かかとから着地させます。身体が前のめりにならないように気をつけながら、つま先をやや外側に向けた状態で歩くと、お尻に力が入ります。

3 捻転差を意識して リズムよく歩きます

踏み出した足と反対側の肩を交互に前に出すようにして、身体に捻転差を付けてリズムよく歩いていきます。お尻を締めて大きめの歩幅で！　10分も歩けば十分な効果があります。

4 慣れたら4歩で吸って6歩で吐くのも効果的

慣れてきたらウォーキングの途中で、4歩で吸って6歩で吐く呼吸を1～2分取り入れてみましょう。さらに慣れたら、4歩で吸って8歩で吐くタイミングも効果的ですよ。

おわりに

7日間で「くびれ」ができる！私を信じてすぐに始めましょう

女性からご要望の多かった「くびれ」に重点を置き、短期間で結果が得られることを念頭に考案したのが、今回の「1週間即効ブレスプログラム」です。実際に7日間のプログラムを実践なさった感想はいかがでしたか?

前著でもお話ししましたが、ロングブレスはかなりハードな運動です。基本のロングブレスをふたつこなしただけでも汗が出てくるほどです。だからこそ、短期間で確実に身体が変わって、結果が得られるのです。

ロングブレスは呼吸法とエクササイズを組み合わせることによって、筋肉量を増やす運動です。筋肉は脂肪の3倍の重さがありますが、基礎代謝量が多いので、ロングブレスで筋肉をつけた身体は、たとえ同じ体重でも身体は引き締まり、食べても太りにくい身体になっています。基礎代謝が増えているのですから、ダイエット前と同じ食事をしていても、自然に体重は減っていきます。食事制限によるダイエットと違って、リバウンドもありません。

ロングブレスを一度始めたら、毎日少しずつでもいいから長く続けてください。ただし、絶対に無理はしないように。

健康な身体は一生の財産です。私がロングブレスを始めたのは52歳のときでした。何歳からでも遅くはありません。ロングブレスで健康でくびれのある美しい身体を目指しましょう！

2011年11月

美木良介

美木良介の
ロングブレスダイエット
1週間即効ブレスプログラム

第一刷―――――2011年11月30日
第三刷―――――2012年 1月20日
著者／美木良介

発行者／岩渕 徹
発行所／株式会社 徳間書店
〒105-8055 東京都港区芝大門2-2-1
電話／編集 03-5404-4350　販売 048-451-5960
振替／00140-0-44392

企画協力／株式会社 サンミュージックブレーン
衣装協力／株式会社 アシックス
取材・構成／安西繁美
撮影／今井隼人
ＤＶＤ編集・制作／庄嶋写真事務所
イラスト／ holo＊horo
モデル／阪上由記、母良田有香、荒木香南

装丁・デザイン／ムシカゴグラフィクス
　　　　　　　（百足屋ユウコ・宇都木スズムシ）
印刷・製本／凸版印刷株式会社

© 2011 Miki Ryousuke,Printed in Japan

乱丁、落丁はお取替えいたします。

ISBN978-4-19-863291-5

＊本書に付いているディスクはDVD - Videoです。DVD - Video対応プレーヤーで再生してください。各種機能についての操作方法は、お手持ちのプレーヤーの取扱説明書をご覧ください。なお、権利者に無断で複製、改変、公衆送信（放送、有線放送、インターネット等）、上映、販売、翻訳などに使用することは、法律により禁じられています。レンタル禁止。コピー不能。

＊本書は独自の理論をもとに、著者が考案したエクササイズを紹介するものです。エクササイズによるダイエットは食生活を含めた生活習慣と密接な関係があり、そのため生活習慣によっては効果に個人差があったり、効果が期待できないこともあります。

＊本書の無断複写は著作権法上での例外を除き禁じられています。購入者以外の第三者による本書のいかなる電子複製も一切認められておりません。